UNE DRÔLE DE SOUPE

UN VIEUX CONTE

raconté et illustré

par **MARCIA BROWN**

STONE SOUP, TRADUIT EN FRANÇAIS

PAR HILDA GRENIER TAGLIAPIETRA

CHARLES SCRIBNER'S SONS • NEW YORK

Trois soldats marchaient péniblement le long
d'une route dans un étrange pays. Ils retournaient
chez eux après la guerre. Ils étaient bien fatigués, bien
affamés. En effet, ils n'avaient rien mangé depuis
deux jours.

"Comme j'aimerais avoir un bon dîner ce soir," dit le premier.

"Et un lit pour dormir," dit le second.

"Mais c'est impossible," dit le troisième. "Nous devons encore marcher."

Et ils marchaient. Tout à coup, ils virent devant eux les lumières d'un village.

"Nous pourrons peut-être y trouver un morceau de pain à nous mettre sous la dent," dit le premier.

"Et un grenier pour y dormir," dit le second.

"Rien n'empêche de demander," dit le troisième.

Mais les paysans de ce village craignaient les étrangers. Quand ils virent trois soldats arriver au village, ils parlèrent entr'eux.

"Trois soldats arrivent ici. Les soldats ont toujours
faim, et nous avons juste de quoi manger pour nous."
Ils décidèrent alors de cacher leurs aliments.

Ils poussèrent les sacs d'orge sous le foin du grenier.
Ils descendirent les seaux de lait dans les puits.

Ils étendirent de vieux couvre-pieds sur les caisses de carottes. Ils cachèrent leurs choux et leurs pommes de terre sous les lits. Ils suspendirent leur viande dans les caves. Ils cachèrent tout ce qu'ils avaient à manger. Et puis—ils attendirent.

Les soldats s'arrêtèrent d'abord devant la maison de
Paul et Françoise.

"Bonsoir à tout le monde," dirent-ils. "Pourriez-vous
donner un morceau de pain à trois soldats affamés?"

"Nous n'en n'avons plus pour nous-mêmes depuis
trois jours," dit Paul. Françoise prit un air triste: "La
moisson a été bien mauvaise."

Les trois soldats allèrent ensuite chez Albert et Louise.

"Pourriez-vous partager une bouchée de pain avec nous? Et nous donner un coin pour dormir cette nuit?"

"Oh non!" dit Albert. "Nous avons tout partagé avec les soldats qui sont venus avant vous."

"Nos lits sont tous occupés," dit Louise.

Chez Vincent et Marie la réponse fut la même. La moisson avait été mauvaise et tout le grain devait être conservé pour le semer.

Il en fut ainsi dans tout le village. Personne n'avait

rien à donner. Tous avaient de bonnes raisons. Une
famille se servait du grain pour nourrir les bestiaux. Une
autre avait un vieux père à garder. Tous avaient trop de
bouches à remplir.

Les villageois restaient sur la route et soupiraient. Ils s'efforçaient de paraître affamés tant qu'ils pouvaient.

Alors, les trois soldats parlèrent entr'eux.

Puis, le premier soldat cria: ''Bonnes gens!'' Les paysans s'approchèrent.

''Nous sommes trois soldats affamés tombés dans un étrange pays. Nous vous avons demandé à manger et vous n'avez rien à donner. Bon! Alors, nous devrons faire une soupe avec des pierres.''

Les paysans ouvrirent de grands yeux.

Une soupe avec des pierres? Ce serait beau à voir.

"Avant tout," dirent les soldats, "nous avons besoin d'un grand chaudron en fer."

Les paysans apportèrent le plus grand chaudron qu'ils purent trouver. Comment la faire autrement?

"Il n'est pas trop grand," dirent les soldats. "Mais ça ira! Et, à présent, de l'eau pour le remplir et du feu pour le chauffer."

Il fallut plusieurs seaux d'eau pour remplir le chaudron. On alluma un grand feu sur la place du village et
l'eau y fut mise à bouillir.

"Maintenant, s'il vous plaît, trois pierres bien rondes et bien lisses."

Ça, c'était plutôt facile à trouver.

Les paysans écarquillaient les yeux pendant que les soldats laissaient tomber les pierres dans le chaudron.

"Une soupe a besoin de sel et de poivre," dirent les soldats, qui commençaient à la tourner.

Les enfants coururent prendre le sel et le poivre.

"Les pierres comme celles-ci font généralement de la bonne soupe. Mais . . . si l'on y mettait des carottes, elle serait bien meilleure."

"Oh! mais je dois bien avoir une carotte ou deux," dit Françoise, et elle courut les prendre.

Elle revint, son tablier tout plein de carottes prises sous le couvre-pied rouge.

"Une vraie soupe de pierres devrait avoir des choux,"
dirent les soldats en coupant les carottes dans le chaudron.
"Mais, inutile de demander ce qu'on n'a pas."

"Je crois que je pourrais trouver un chou quelque
part," dit Marie, et elle courut chez elle. Elle revint avec
trois des choux cachés sous le lit.

"Si nous avions seulement
un morceau de boeuf et quelques
pommes de terre, cette soupe serait
assez bonne pour la table d'un grand
                                    seigneur."
    Les paysans réfléchirent. Ils pensaient aux
pommes de terre et aux quartiers de boeuf suspendus
            dans les caves. Ils coururent les prendre.
    Une soupe pour grand seigneur . . . et tout cela avec
                quelques pierres. C'était de la magie!

"Ah!" soupiraient les soldats tout en mélangeant le boeuf et les pommes de terre, "si nous avions seulement un peu d'orge et un bol de lait! Cette soupe serait digne du roi lui-même. En vérité, c'est juste une soupe comme ça qu'il voulut la dernière fois qu'il dîna avec nous."

Les paysans se regardèrent l'un l'autre. Les soldats connaissaient le roi! Eh bien, alors!!

"Mais—inutile de demander ce qu'on n'a pas."

Les paysans retirèrent leur orge des greniers, leur lait des puits. Les soldats les mélangèrent dans le bouillon fumant et les paysans regardaient bouche bée.

Enfin, la soupe fut prête.

"Vous allez tous en goûter," dirent les soldats.
"Mais, avant tout, il faut préparer la table."

De grandes tables furent préparées sur la place. Et
des torches furent allumées tout autour.

Quelle soupe! Quelle bonne odeur! Juste comme pour un roi.

Mais les paysans se demandaient: "Après une soupe comme ça ne faudrait-il pas du pain—un bon rôti—du cidre?" Un banquet fut immédiatement préparé; puis, chacun se mit à table.

Jamais personne n'avait vu pareille fête. Jamais personne n'avait goûté pareille soupe. Et, pensez donc, faite avec des pierres!

Ils mangèrent et ils burent, ils burent et ils mangèrent. Et puis, ils dansèrent.

Ils dansèrent et chantèrent tard dans la nuit.

Enfin, ils se sentirent fatigués. Et les soldats demandèrent:
"N'y aurait-il pas un coin où dormir?"

Un coin où dormir! pour ces trois gentilshommes si splendides et savants? En vérité! ne devraient-ils pas avoir les meilleurs lits du village?

Et le premier soldat dormit chez le curé.

Le second soldat dormit chez le boulanger.

Et le troisième dormit chez le maire.

Le matin suivant tout le village se réunit sur la place
pour les saluer.

"Merci mille fois pour ce que vous nous avez appris,"

dirent les paysans aux soldats. "Nous n'aurons plus
jamais faim à présent que nous savons faire une bonne
soupe avec des pierres."

"Oh!" dirent les soldats, "l'important c'est de le savoir!" et ils reprirent leur route.

"Des hommes comme ça ne poussent pas sur tous les buissons!"

SOME WORDS YOU MAY NOT KNOW

aliments	food	écarquillaient	stared, opened their eyes as wide as possible
bestiaux	farm animals		
bouche bée	mouth gaping wide open	foin	hay
bouchée	mouthful	grand seigneur	a man, not only rich but also aristocratic
boulanger	baker		
buissons	bushes	grenier	loft
cachèrent	hid	lisses	smooth
chaudron	large pot, caldron	maire	mayor
couvre-pieds	short quilt to cover the feet	moisson	harvest
craignaient	feared	orge	barley
curé	priest	seaux	pails